KB096404

SIM 심

https://brunch.co.kr/@sunshine

결코 어리지도, 결코 나이 들었다고 생각하지 않는다. 전혀 새롭지도, 그렇다고 익숙하지도 않다. 오늘, 후회없이 살고 싶다.
이메일 | bss0124@hotmail.com

발 행 | 2024-02-01

저 자 | SIM 심

펴낸이 | 한건희

펴낸곳 | 주식회사 부크크

출판사등록 | 2014.07.15(제 2014-16 호)

주 소 | 서울 금천구 가산디지털 1 로 119, A 동 305 호

전 화 | 1670 - 8316

이메일 | info@bookk.co.kr

ISBN | 979-11-410-6993-3

본 책은 브런치 POD 출판물입니다.

https://brunch.co.kr

www.bookk.co.kr

"어릴 적

부모님으로부터 받은 편지를 읽고

울컥한 적이 있다.

그 감정을 다시 느끼고 싶다.

그리고,

이 편지를 읽는 사람이

그 감정을 느꼈으면 좋겠다"

부모로부터
온
편지

SIM 쉼 지음

태아의 자녀에게

유아의 자녀에게

초등학생 자녀에게

중학생 자녀에게

고등학생 자녀에게

대학생 자녀에게

사회 초년생 자녀에게

사회 경력자 자녀에게

결혼하는 자녀에게

자녀를 둔 자녀에게

태아의 자녀에게

1

엄마와 아빠는 네가 생긴 걸

너무나 감사해.

네가 어떤 모습으로 우리 곁에 올지

많이 궁금하 단다.

엄마를 닮았을 지

아빠를 닮았을 지

아니면 우리 두 사람을

쏙 빼 닮았을 지

매일 궁금해.

2

엄마, 아빠는 하루빨리 너를 보기 위해

많은 것을 준비하고 있단다.

네 방을 꾸미기도 하고

네게 줄 옷도 샀단다.

네게 줄 선물도 많이 준비했어.

네가 건강하게 태어나길 바라는 마음에

엄마는 먹기 싫은 보양식도 챙겨 먹는다.

너도 이 음식 맛있게 먹고

엄마 배 속에서 무럭무럭 자라서

엄마, 아빠에게 와 주렴.

3

요즘 엄마가 입덧이 심해

음식을 많이 못 먹네.

아직 많은 것을 모르는 엄마, 아빠라

이 상황을 이겨 나가는 게 좀 힘들어.

네가 태어날 걸 생각하면

기쁘다 가도

울기도 하고, 걱정도 되고

덜컥 겁도 난 단다.

네가 태어날 때

엄마가 경험할 고통은

얼마나 클지 너무 무서워.

제발 그런 엄마, 아빠의

고민 속에서도

잘 자라서 건강하게만 나와 주렴.

네가 배 속에서 잘 커서

우리 곁에 올 날을 손꼽아 기다리고 있어.

많이 사랑해 아가야.

유아의 자녀에게

1

엄마, 아빠를 보고

활짝 웃기도 하고

때론 칭얼대며 우는 네가

너무 예쁘다.

엄마를 쏙 빼 닮은

너의 눈을 보는 것도 좋고

아빠와 잠버릇까지 비슷한

너를 보고 있자면

엄마, 아빠 얼굴에 미소가 번진다.

많이 많이 먹고

무럭무럭 자라라.

2

엄마, 아빠는 요즘 너에게

“엄마", "아빠”라 고 듣는 날을

손꼽아 기다리고 있어.

급한 마음에

“엄마”해보라고

“아빠”해보라고

너를 재촉할 때도 있단다.

말을 하려고

쫑알쫑알 옹알이를 하는 네가

너무 귀엽다.

3

온 방안을 이리저리 기어 다니는 네가 좋다.

이제 아장아장 걸음마를 배우며

이곳저곳을 돌아다니는 너를 보고 있자면

엄마, 아빠는 하루빨리

너와 함께 여러 곳을 다닐 생각에

마음이 조급해진다.

그래도, "엄마", "아빠"하며

졸졸 쫓아다니는 네가

너무 예쁘고 귀여워서

온 세상이 너로 인해 행복하단다.

4

네가 처음으로 어린이집에 갈 때

엄마, 아빠는 너무나 걱정이 돼서 잠을 설쳤어.

처음으로 엄마, 아빠와 떨어지는 낯선 상황을

네가 잘 적응할 수 있을지 너무 걱정이 됐단다.

그래서 네가 엄마, 아빠 랑 떨어지지 않으려고 울 때

엄마도 같이 많이 울었어.

사랑하는 아이야,

다치지 말고

선생님 말씀 잘 듣고

친구들과 잘 놀면서

건강하게, 똘똘하게, 예쁘게 자라줘.

5

유치원에서

하나하나 글을 배우고

책도 읽고, 노래도 하고

춤까지 잘 추는

끼 많은 너를 보는 게 좋다.

엄마, 아빠는

네가 연예인이 돼도 좋고

대통령이 돼도

선생님이 돼도 좋다.

그냥 무럭무럭 자라서 큰 사람이 되길 바래.

아이야, 많이 사랑해.

초등학생 자녀에게

1

이제 처음으로 학교에 간 너인데

엄마, 아빠는 요즘 욕심이 생긴다.

네가 반장선거에 나갈 만큼

인기도 있었으면 좋겠고

체육도 미술도

다 잘하는 아이였으면 좋겠다.

거기다 사람들에게

예쁨 받고 칭찬받는 너였으면 좋겠다.

너를 많이 사랑하는 만큼

네가 더 많은 것을 할 수 있는

아이가 됐으면 하는 바람이 너무 커서 그래.

2

이제 고집을 부리는 네가

밉기도 하지만 그래도 좋다.

혹시 선생님께 혼나지는 않을지

걱정도 되고

숙제를 하기 싫다고

생떼를 부리는 너를 달래는 게

쉽지 만은 않을 때도 있다.

그래도 하려고 노력하는

너를 볼 때마다

무럭무럭 자라서

큰 일을 하는 사람이면 좋겠다고 생각해.

엄마, 아빠 욕심만큼은 아니더라도

열심히 해보려고 하는 네가 너무 기특하다.

그래도

지금도 엄마, 아빠는

네가 건강하게만 자라길 바란다.

엄마, 아빠가

많이 많이 사랑한다, 아이야.

중학생 자녀에게

1

엄마, 아빠는 요즘 걱정이 많단다.

이제 중학생이 되어 학업에 집중해야 할

너의 진로와 방향성 뿐만 아니라

이제 사춘기를 겪게 될 네가

이 시기를 잘 넘기고 잘 성장해 줄지

불안 불안할 때가 많단다.

예전보다 한껏 예민해진 너를 보며

엄마, 아빠도 조심하려고 노력하지만

가끔 네가 반항도 하고 고집을 부릴 땐

엄마, 아빠도 속상해서

소리도 지르고 꾸중도 하고

미안한 마음에

몰래 울기도 한단다.

2

이제부터는 학업에 정진해야 할 때인데

혹시 이성교제 때문에

학업에 지장을 주지 않을지 걱정도 되고

친구들 하고 만 어울리려는 네가

서운하기도 하다.

그런데 그럴 시간도 없이 이제는

너의 진로를 걱정하며

네가 공부를 좋아해서

열심히 학업에 집중했으면 좋겠다는

생각도 든다.

3

엄마, 아빠도 너 때는 친구들과 어울리며

많은 시간을 보내길 바랬는데

막상 네가 그런 나이가 되니

혹시나 잘못된 친구들과 어울려

하지 말아야 할 일을 하지는 않을지

학업에 집중하지 않고

어울려 놀려고만 하는 건 아닐지

조마조마하기도 하다.

혹 학교에 물의를 일으켜

선생님을 만나러 가게 되는 일은 없을지

걱정도 된다.

그래도 친구들과 즐겁고 신나게 학교생활 하며

좋은 추억 많이 쌓고 선생님 말씀 잘 들었으면 좋겠다.

4

선생님들의 상담을 들을 때마다

앞으로 너의 진로를 위해

어떤 것을 해야 할지 고민하게 된다.

더 많은 것을 해주고 싶은데

그만큼 빠듯한 생활도 마음에 걸린다.

그래서 어렵게 마련한 과외자리를

네가 싫다고 하거나

열심히 하지 않을 땐

그런 너를 이해하면서도

철없는 너를 보며 속상할 때도 있단다.

그래도 엄마, 아빠는

네가 건강하게, 착하게

공부 열심히 하면서 잘 자라길 늘 바래.

요즘에 자주 말하지 못했지만

사랑한다.

고등학생 자녀에게

1

그동안 네가 열심히 준비했는데

네가 원하는 곳에 가지 못할까 봐

조마조마하다.

엄마, 아빠는

네가 시험을 볼 때마다

잘 나오지 않는 결과로 인해

마음을 자꾸 졸이게 돼.

너는 아니라고 해도 엄마, 아빠는 애가 탄다.

이 시기가 너의 인생에

중요한 시기중 하나라는 걸

너무 잘 알고 있는 엄마, 아빠라

네가 많이 힘들게 걱정이 된다.

그래도 네가 열심히 하지 않으면

나중에 후회할 걸 너무 잘 알아서

자꾸 너를 재촉하게 되네.

2

네가 온전히 실력을 발휘해서

좋은 학교에 들어가

엄마, 아빠보다

더 멋진 인생을 살 수 있길 바란다.

너는 네 인생을 얼마든지

바꿀 수 있는 자리에 있다고 생각해.

힘들어도, 어려워도 조금만 더 참고

더 열심히 해 줬으면 좋겠다.

준비해야 할 것에 정신이 없다.

엄마, 아빠도 이렇게 정신이 없는데

아직도 어린 네가

이 모든 것을 잘 치러낼 수 있을지 걱정이 된다.

너는 이해되지 않겠지만

엄마, 아빠도 너 같은 시기가 있었다는 걸

알아줬으면 좋겠다.

물론 너는 그때와 다르다고 말하겠지만

공부하면서 꾸벅꾸벅 졸고 있는 네가

안쓰럽고 기특하고 대견한 엄마, 아빠다.

사랑한다.

대학생 자녀에게

1

고생했다.

많이 긴장하고 마음 졸이며 준비했을 텐데

그래도 잘 마쳐서 얼마나 다행인지 모른다.

그런데 네가 원하던 학교와 학과에 들어간 건지

엄마, 아빠는 생각이 많다.

직장도 잘 잡고, 성공할 수 있는 학교로 간 건지

걱정이다.

혹시 앞으로 사회 생활할 때

불이익을 당하지는 않을지

지금 간 학과의 미래는 괜찮을지

요즘 고심이 많다.

네가 잘하고 좋아하는 곳으로 가서

네 실력을 키워 너의 꿈을 잘 발휘했으면 좋겠다.

그렇게 너를 밀어주고 싶다.

그런데 마음 한편에는

네가 성공이 보장된 길을 갔으면 좋겠다는 마음도 든다.

그래도 엄마, 아빠는 네 편이니

너의 꿈을 활짝 키울 너를 응원한다.

2

이제 마음껏 놀고 마음껏 즐겨라.

그래도 졸업 후 취직과 진로를 생각해서

공부도 열심히 하고

필요한 기술과 자격증도 잘 취득해라.

술 너무 많이 마시지 말고

새로 사귀는 친구들과 잘 어울리며

여행도 갔다 오고

좋은 추억, 좋은 시간 많이 가져라.

너는 어깨를 활짝 펴고

인생을 마음껏 즐겨라.

꽃다운 너의 청춘을 늘 응원한다.

사랑한다.

사회 초년생 자녀에게

1

취업 준비하느라 고생이 많았다.

경기도 어렵다는데

열심히 준비하고 노력해서

첫 직장을 잡게 된 너를 보는 게 기쁘다.

그래도 요즘 걱정이 된다.

네가 회사사람들과 잘 어울릴 수 있을지

무슨 실수를 하지는 않을지

혹 상사의 눈 밖에 나 힘들어하진 않을지

걱정이다.

직장생활이 너에게 맞을지도

네 실력을 잘 발휘해서

잘 적응할 수 있을지

자꾸 걱정이 된다.

2

바쁘더라도 아침 꼭 챙겨 먹어라.

끼니 거르지 말고

회사 가서 못해도

"죄송하다" 라고 하면서 열심히 배워라.

사람들과 잘 어울리고 잘 대해줘라.

상사가 시키는 건 무조건 열심히 해라.

조금 불만스러워도 잘 참고 잘 견뎠으면 좋겠다.

첫 월급 탔다고 사온

너의 선물과 용돈이 기쁘면서도

이것을 사기 위해 고생했을

너를 생각하니 눈물이 핑 돈다.

건강 챙겨가며 해라.

나중을 위한 과정이라 생각하며

밥 잘 챙겨 먹고 힘내서

속상한 일들은 훌훌 털어버리고

열심히 잘 해내길 바란다.

오늘도 최선을 다해 살고 있을

너를 사랑한다.

사회 경력자 자녀에게

1

회사에 막 취직해

이리저리 허둥대던 네 모습이 엊그제 같은데

네가 이제 그만한 실력을 쌓아서

더 좋은 직장으로 이직도 하고

출장도 가고

실력을 발휘해 나가고 있다니 다행이다.

어학연수며 유학도 다녀오고

점점 더 자리를 잡아가는 네가 대견하다.

2

이제 조금씩 자리를 잡고

너의 자리를 만들어 가는

너를 보는 게 좋다.

"그래도 많이 힘들지?"

위에서는 실적을 내라고

독촉하는 상사로

네 어깨가 무겁고

아래로는 치고 올라오는

부하 직원을 보는 게

너도 힘들 거다.

요즘 부쩍 피곤한 기색이 역력한

너를 보는 게 안쓰럽다.

3

이제 조금 여유를 가지고

네 삶을 즐겨라.

그래도 열심히 일해라.

더 많이 배우고 더 실력을 쌓고

더 나은 삶을 살 수 있게

끊임없이 노력해라.

더 좋은 것

더 많이 먹고

더 좋은 경험 많이 하면서

더 나은 인생, 행복한 인생 살아라.

그런 하루하루를 네가

살고 있길 바란다.

아무리 바빠도

전화 좀 자주자주 해라.

엄마, 아빠는 아직도

네 걱정 뿐이다.

사랑한다.

밥 잘 챙겨 먹고.

결혼하는 자녀에게

1

이제 늦지 않게

좋은 사람 만나 결혼해라.

우리는 네가 좋은 사람을 만나

가정을 꾸리고

안정적이고 행복하게 살기를 바란다.

그동안

돈 모으랴

능력 키우랴

너를 가꾸랴

고생했다.

다양한 경험과 실력을 쌓은 네가

이제는 가족을 이루고 잘 살았으면 좋겠다.

2

좋은 짝을 만나

결혼할 너를 보내는 게 아쉽지만

그래도 네가 대견하다.

이제 가정을 꾸리고

고생도 하겠지만

제발 행복하게 잘 살아라.

너의 결혼식날

너를 보내고

적적한 마음에

울기도 하고 술도 한잔했다.

부디 행복하게 잘 살았으면 좋겠다.

사랑한다.

자녀를 둔 자녀에게

1

이제 "어머니", "아버지" 라 고 부르는 네가

제법 익숙해졌다.

네 옆에서

너를 꼭 닮은 내 손자, 손녀를 보는 것도

내 기쁨이다.

아이들 키우느라

집안 생계 유지하느라

고생하는 네가 안쓰럽다.

그래도 건강하게 별 탈 없이 살아줘서 고맙다.

아직도 나에겐 어린애만 같은 네가

어느새 이렇게 커서

아이가 있는 부모가 되었다는 게 믿기지 않는다.

밥 잘 챙겨 먹고

남편, 아내 랑 싸우지 말고 잘 지내라.

그냥 이렇게만 계속 잘 살았으면 좋겠다.

사랑한다.

살다 보면

부모님의 사랑을

잊어버릴 때가 있다.

가끔

힘들 때

속상할 때

그리울 때

아니면

보통의 어느 날에

부모님의 마음을 생각해 보는

마음의 편지가 되고 싶다.

글을 쓰며 마음으로 쉬고 싶다

나만의 색깔로 심지 있는 글을 쓰고 싶다.

함께 마음으로 공감하는 글을 쓰고 싶다.

-작가 Sim 쉼-